KB178010

- 무대란 누구나 경험할수 있는 매개체이므로 무대의 장치를 설계 설비하면서 공연성을 파악 할수있다 공연에서의 평가가 이루어지 지 못하면 절대로 호의할

수 없는 배경만이
생길수 밖에 없다
그러므로 공연에
대한 파악이 필요
하다 무대에서는
여러가지 장치들로
구성이 되어있는데
아키텍팅 포인팅을
써 좀더 밝은 무대

공연을 전개할수가
있다 그러므로 무
대에선 이미 많은
종목들로 부터 남
기게 된다 예를 들
어서 연출을 하자
면 무대의 기능적
인 것을 보아야만
한다 그게 큰임무

이다 기능 적인 부분
에서 무대의 톱니바퀴
를 기계화시켜 기계의
회전으로 배우들이 그
톱니바퀴의 성능을 이
용해 한씬마다 연출을
즉흥훈련으로도 만들
수가 있다 첫번째로
맥베스라는 희곡 작품
이 있을때 갑옷을 입 은

피흘리는 전사가 만약
무대에서 기계화 된
장치들을 해석하고
무대에 설비해논 건축
모형들을 파악해 대사
처리가 어떻게 될지
상상의 기억법에서 추
출할수가있다 또한 마
치 무대에서는 논리적
일것같지만 놀이공원

과 같은 기능을 살릴 수 있겠다

- 무대에서는 두가지 종목이다 장치를 통한것과 인위적으로 무대 안쪽에있는 것을 통해서 제작한 나무의자나 조명을 킬수 있게끔하는 장치들과 음향을

연동 시킬수있는
많은 부분들이
존재한다
무대에서는
개발할때 성능을
중요시 여겨야
하는데 이성능
자체에서
공연예술에
포괄적으로
설명하자면

연출로서 파악이
중요하다고
연상된다 여기서
공연학에서는
감독관리를 할때
연출기법을 통해
배우들의 성격
자아를 파악하고 그
기계분석을 통해서
연상을 해
배우들끼리

언어라는 작용을
하게 만든다
- 또한 공연학에 대한
설명을 하겠다
공연학은 볼로
던지거나
다시돌아오는
방향으로 벡터의
방향이 흘렀을때
정확도 가 살아

있어야 공연진행이
가능하다
공연학에서 나오는
성분들은
언어적인것과
배우들의 제스처
그리고 내면화한
표현의 신체적인
것을 잘알
아두어야한다

가난한 연극 심리
속에서
살아남을려면
시학에대한 입장을
두어야 한다는
생각도 있다
그러기에 앞서
시학이라는 것을
알아보겠다 시학은
시각적인 것이고

눈으로 보지 않은
이상 절대로 연극과
공연을 다룰 수
없다 뭔가를 봐서
결정되는 문제들이
있어야 공연학이
가능하다

- 여기서 볼이라는
언어 자체에서
수학적인 기법으로

공간안에서 제대로
계산적이게 전사가
되어있는
지에대해서 파악해
봐야한다 그게
계산적이지 않고
자율적이면
좋겠지만
공연에서는
알겠지만 한씬 한씬

다른 장면을
보여주기 때문에
그런 문제가 생기는
것이다 그래서
공연학에 필수적인
의상이나 조명
그리고 음향분석
자체에서 파악이
되어야만 한다
스포츠적인 것은

감정의 일시적인
부분으로 평가 가
되며 심리학적인
분석도
가능할것이다
그래서 연극을
할때도 마찬가지로
계산적이지만
납득이가게
관객을 응호할수

있어야한다

- 공연적인
  무대움직임에서는
  무대에서
  얼마만큼 상대
  배우를 파악하며
  대사를 접근을
  했을때 어떠한
  스킬이
  필요한지에

대해서도 나눔을
할수있을것이다
이 극장의 모든
스케일은
슈퍼바이저가
연출을 이 작가 가
왜 이런
결과물들이
나중에 평가가
될수있다

연출에서
공연학이라는
것은 입체적인
것도 설명
할수있다 배우가
무대에 있을때
대사를 접근을
할때 배우의
움직임의
목적성이

뚜렷해야한다
그러므로
움직임을 통해
표현이 가능하고
대사를
전달할때의
움직임과 성향을
파악할수
있다는것이다
또한 대사에

미치지 못할경우
이야기 하듯이
하면 감정이 잘
잡힐때 까지
기다려야하는것이
다

- 공연학에서 중요한
점은 무엇이냐면
이야기 전개서 이
안에 있는 물질적인

것들을 많이 볼수
밖이 없을것이다
그러므로 나중에
스탠다드 하게 이
공연의 훈련을
통해서
나아갈수있는
입장을
고려해볼수있겠다
공연학에서 연구를

해보고 분석을
해보겠다
공연학에서의
연기에서
연출에서는 무조건
다 포함이
되는것이다
누군가가 그냥
공연을 해보아라고
했을때 사실적인

연기가 들어가지
않아도 그 공연학의
물질적인
자원으로써
해결하기 때문에
공연학에서
키포인트를
잡아야 겠다는
훈련 방법을
제시하겠다

- 우리는 이 관점에서 이 공연 퍼포먼스를 하기전에 어떠한 점이 있었겠냐면 전쟁에 통한 고난과 권력등으로 사실대로 이론을 정리하고있다

이러한 상태에서
예술가들은
작업과정과 관객
그리고 배우들의
훈련방식에
대해서 상세히
설명하고
있으므로
이러한점을
개발시켜야합니다

어떠한 반복되는
방법론은 주장을
할 수가없습니다
공연 즉 미술이든
서커스든 그들의
예술 관이라는
것이 있기
때문이바니다
이러한
상황속에서

영화감독과
작곡가화가등
세부분야로
발전할
수있었습니다
이런 수많은
학자들이
결국애는
배우들의
훈련성과 어떻게

작업을 해야
하는지 설명을
하라는
법칙입니다
어떠한 이론으로
실체적인 측면을
연구하고 있었다
그러면서
공연장은
디자인을 꿈을

꿨다 그러면 서
규칙을
만들어낸것이다
이러한 점에서 내
가 탐구해봐야할
입장은 좀 더
배우들의 말이나
공연연출성을
분석해 보는게
좋은것이다

왜냐하면 이
루트를 자꾸
개발을
할려고하면 서로
엉키는 부분이
있기 때문이다
그러므로 우리는
항상 그문제점 이
문제점을
따지는것보다

자기 의 역할에
충실해야한다
또한
공연연출가에게
무조건 질문을
해야하는점이있다
이역할 이 마음에
들지 않다 내가 왜
이역할 계속
해야하냐는

뜻이다 그러므로
당연히 공연
연출가도
마찬가지로
그사람의 입장이
되어야겠다는
생각을
해보는것도
나쁘지않기
때문이다 이러한

공연 연출 성엔
대해서
평가하자면
무조건 좋아야 한
다 나쁘지않다가
아니라 지시를
하거나 자네는 이
역할이 잘 맞아 이
역해 라는것은
나쁜 방침이라는

것이다 이럴수가 있다 그 캐릭터와 실제 나의 성격을 파악해서 연기를 하면 그것은 순모순이라는것이 다 그리므로 규칙을 설정을 내야 겠다는 뜻이다 또한 즉흥 훈련이라는 관계점에 대해서 설정해

보자면 시간 이라는것이
있다는 것이다 그시간이
라는것은 과거 현재 미
래라는 뜻이다 그러므로
시간과 관계가 있듯이
우리는 자연스럽게 행동
과 오브젝트가 들어간다
왜냐하면 우리가 시간을
의미 했을때 내 감정의
표현이 익숙지 않더라도

그만큼 행위 모션 동작 이
생겨나서 저절로 액 팅을
처리할수있기 때문 이다
이러한 뷰포인트에서 공
간이라는것을 의미를 해
볼텐데 공간의 중요성을
알려드려야 할것이다 자
환경을 지배한다고 보면
된다 공연장에 있는호흡
이 환경과 관련되있다는

것이다 이런 것은 어떠
한 의미를 가지는 것이
냐는 것이다 호흡을 마
실 때 후각으로 공연의
향기 맡을 수가 있다는
것이다 그러한 뜻에서
공연은 과학적인 아키텍
팅이다 우리가 볼수있을
때 이 환경이라는것은
대기 환경과 비슷한 의

미를 가질수가있다 그러
므로 우리는 스타니슬라
브스크의 말처럼 항상
공연은 그 분위기를 맞
춰야 한다는 것이다 기
록을 해놨으면하는부분
이다 또한 이러한 공연
에서 내가 배우의 역할
이 악역이면 영화감독이
좌석에 앉아서 지켜봤을

때 절대로 악역만 가져
갈수없다는 것이다 그이
유에 대해서 설정 해보
겠다 이 환경지배적인
공연장에서 만약 감정이
컨트롤이 되고 역할에
충실하면 영화에서 다른
역할도 들어올수있는것
이다

그것이 바로 우리의 환
경그 자체를 말하는것이
다 춤 이나 댄스 공연에
서도 마찬가지다 삼바댄
스를 보고 나서 어떠한
영화 제의 가 왔을때 그
춤을 추었으므로 예술이
라는것을 배웠기 때문에
영화현장에서 제대로된
순수한 감정을 들어낼수

있다는 것이다 또한 공
간적인 부분에 서 운동
신경이 라는것이 있다
이것이 무엇이냐면 왜
우리가 배우는 수영도
해봐야되 스포츠를 즐겨
야되 이러한 생각을 하 는
지 알 아야한다 왜냐 하면
중간에 공연에서
엔지가나면 즉흥적으로

대사를 다른 배우가 쳐
주어야 하는것이 맞다는
생각이다 만두만 먹는
다고 해서 행복해지는 건
아니다 하나의 화술 에
대해서도 알려 주겠 다
화술이라는것은 템포 를
통해서 호흡과 발성 을
유지를 시켜야 한다
그러므로 내가 경찰일때

자극 반응으로 인해서 좀더 세부적으로 그 호흡에 맞워야 실제적인 사실적인 면목을 발휘할 슈있다 그러므로 템포라는것은 중요한 메소드이다 템포를 저절로 맞처줘야한다 어설프게 만들면 않된다는것이다 운동감각적인 것은 음향 사운드에 맞처들어가서 즉흥적인 현상과 같이 이사운드 웨이브를 맞춰서 움직여야 하고 동작을 구현해야 할 필요가 있다는 것이다 그러므로 이러한것은 제일 중요한 점이다 운동감걱적인것은 충동적인 것이라고 도 말할 수있다 자극이 오면

반응을 해줘야된다는점이다 행동적인 제스처와 표현적인 제스처를 말하기전에 제스처에 대해서 설명하겠다 제스처는 어떤 모션 이 아니다 이것은 쉽게 말해서 어 떤 포즈이다 그러므로 행동적인 제스처는 내가 정말 싫다면 내면에서 싫다면 포즈를 취해서 아 이거싫어!! 라는것을 분명치 않게 보여주어야 한다 시각적인 면목이라는것이다 행동적인것은 움직임과 동작이 들어가야하는 부분이다 그러므로 내가 만약 행동에서 내면에 상처가 있다면

포즈를 취해서 반듯이 그
관객들에게 나는 이 렇다
하는것을 즉시 해
줘야한다 그러기에 앞서
서
내가 만약 이사람이였다
는 것을 보여줄수있다
그것이야 말로 관찰이다
사람들을 계속관찰을 해
서 내가 되는 상황이 되

어야한다 사람들은 내면 속에 악마가 있을수도 있도 외면에서 천사가 될수있다 사람은 다똑같은 존재이다

- 왜 감정의 동물이 아니기 때문이다 이성이 있어야 하기 때문이다 그러므로 특히나 공연을 할때 필요한 요소

들이다 이 의도를 정
말로 잘알아야겠다 또
한 표현적인 제스처라
는것이있다 그것은 바
로 내면과 감정에서 키
포인트이다 이것은
뭐라하면 되면 희 노 애
락이다 이 감정표
현에서 제알 중요한것
은 농도를 중요시 여

겨야 할것이다 왜냐하
면 감정이 너무 튀면
않되고 내면이 깊게
들어가면 나중에 휴율
증이라는 순간이 올수
도 있다는 이야기이다
그러므로 연기를 할때
너무나 많은것을 탐내
지말아야 한다
공연에서도 똑같은것

이다 움직임을 할때
내가 언제 앉을 때 그
순간순간마다 감정의
포인트를 집혀줘야되
고 또한 사실적이게
들어가야합니다 공연
장은 구조같은 것이
있다 무엇이냐면 구조
물과 질감 빛 색깔 소
리인것이다 구조물은

벽 이나 바닥 천장 가
구 창문일테고 질감또
한 마찬가지이다 어떠
한 고급성을 나타내는
것이 아니라는것이다
그런건 왁스카빙이나
모델링을 할때 쓰이는
것이다 하지만 이 벽
이나 바닥은 왜 설치 를
하는 이유는 아키

텍쳐입장은 관객들에
게 우리가 이러한 글 을
가지고있으니 내용 을
이렇게 나올겁니다
하는 것이다 그런것은
바로 공연에서 관객들
에게 이 현상을 말하 는
것이다 빛은 조명 이다
배우들이 공연장 에서
섯을때 빛이 혼 자서

받고 있으면 당 연히
떨리겠다는 뜻이 다
이러한것을 왜 설 치를
하나면 배우들이
조명에 빛일때 그만큼
희 노 애 락을 좀더
관객들에게 보여줘야
하는 것이다 그렇기에
또한 많은 장점을 가
질수밖에 없다 지형에

대한 설명을 하겠다 이
지형이란 우리가
공연을 했을때의 지형
이 아니라는것이다 지
형이라는 것은 미학적
이고 그의식에 따라
항상 발 을 맞춰야한 다
이 평가는 얼마든 지
존재할수있다 무대
에서의 디자인과 호흡

하여 이 사물체가 과 연
어떠한 객체인지 확인
해보라는 것이다
콤포지션이라는 것은
배우들과 연출가들이
우리가 쓰는 언어가
아닌 공연장에 쓰일수
있는 언어를 개발시키
는 뜻이다 그러므로 이
컴포지션이라는것 을

알아야하며 연출과
연기를 대신해서 쓰여
서 공연예술물 만들수
있다면 좋다는이야기
이다 피카소도 그렇게
말했다 예술작품은 일
기를 쓰는것이라고 그
래서 배우들은 내가
연구해본결과 공연에
서 사용될수있는 여러

가지 측면에 서로 협
동과 희곡 발굴이 필
요하다 왜냐하면 희곡
이라는것은 사람들을
대상으로 해서 감동을
주고 교훈을 남기기
때문이다 그래서 이
희곡대본을 나와있는
대로 공연을 할때 내
면을 한번 파악해서

그걸 한번 써보는것이
제일 중요한 것이다 이
공연학은 연기를
바탕으로 배우들의 특
성을 살려 내가 슈퍼
바이징을 했을때를 비
교하며 성분에대해서
특징을 파악해야한다
성분이라는 것은 만약
배우가 무대에 서있을

때 내가 감독과 맞춰
가면서 성질 분해를
한다 특정상 배우가
무대에서 연출을 한다
고해서 고연학이 아니
라는 것이다 이 것을
바탕으로 배우가 직접
적인 상황과 맏부디쳤
을 때 의미없이 전달 이
되긴한다 그래서

공연학이라는 주제는
내가 배우관계에서 흐
름의 특성과 더불어
룰이라는 것이 있기 에
마련이다 룰이 라 는
공연학에서는 움직
임을 어떻게 해야하며
그 미학이 들어있는
연기에서 고쳐야 할
부분과 대본의 흐름을

파악하는 것이다 연기
에서는 배우들과 감저
이 들어나되 감정 이
충돌해선 않된다 그러
므로 차질없이 공연학
과 연출은 화하적으로
같이 합성이 되어야한
다 그 이후에 배우들 의
신체적으—로 바른 지
내면으로서 움직인

다드니 목소리와 오브
젝트가 맞는지에 대해
서 살펴보아야 한다
이공연학주제에서 배
우들을 어떤점에서 살
릴것인지에 대해서도
걷는 무브먼트나 동선
에서 결과적으로 과학
적인 요소를 잘알야
한다 연기에서도 그렇

지만 시각적인 효과에
서도 가능하다 공연학
은 연기학과 다르게
연극이나 뮤지컬쪽에
서 트여져있는 재질이
다 또한 내가 공연학
에서 연라는 과제를
읽힞지 않아도 연처럼
보일 겄이다 또한 심
리를 구성고자 하는

명작에선 공연학에서
서커스도 좋다 이러한
화학적인 연기이론과
의 관계는 항상 유지 를
해야하며 감독들은
항상 룰이 바꾸고 공
연학 포인트 들이 이
것이다 그럼 공연무대
에서 성능에 대해서도
알아 봤으면 하는 생

각이다 선입견이지만
다양한 연출론을 가지
고 생각하는 작가들도
마찬가지로 이 진정성
을 느끼지 못하면않된
다 이 기계 바퀴에서
도르래가 움직이면 공
연 즉 무대의 형태가
어떻게 따지게 될것인
지와 무대에서의 형식

적인 근원을 가지고
연출을 하면 배우들의
공연에서 연기에서의
활용성을 지켜볼수있
다는 말이다 그래서
또한 활용성 자체에서
무대를 시각적으로 연
구를 하다보면 나중에
그시각적인 성향을 가
지고 여러가지 방면의

연출 구성안을 가질
수있다 그 연출에서도
마찬가지로 동양과 서
양 이 있다 동양인이
만약 연극을 한다면
폰트가 맞지만 서양화
된 연극을 만나게 되 면
리양쓰가 깨지게 된다
그러므로 공연의 무대
장치가 연출을 통해서

만들어 지는 것이다
그래서 배우들 로만
이루어 진 형태 보단
의상이나 분장술 을
리얼리티로 바꾸는
것도 좋다 의식적인
공연과 반의식적인 연
극이 있다 두개의 차
이점은 의식적인 공연
에서는 배우들의 성향

에 따라서 움직일 수
밖에 없지만 의식적이
지 않는 연극을 자연
스럽게 공연학 의 물
질적인 요소를 쓴다면
공연에서도 마치 펌프
질을 하는 느낌을 받
을수가 있다 그래서
동물연기나 움직임의
특수성을 볼수있는 극

장의 구성원으로 이루
어 질수 있기 때문이 다
극장에서의 원리를
파악하자면 상대성의
작용으로 공연의 무대
현상이 크게 생길수있
다 예를 들어서 극장
무대안에 마차를 집어
넣다던 기계설계를 통
한 디자인을 무대에서

세노그라피 처럼 한다
면 곧 멋있는 공연학 이
될수 있을 것이다
공연학에대한 부정성
과 긍정성이 존재한다
부정성에서 연극 배우
가 실질적으로 값어치
를 못했을때 되는 성
향에 대해서 말해보겠
다 긴장감이란 무대에

서 연기가 될수있다
무대에서 연기란 무조
건 적으로 되는것이
아니라 순차적으로 밟
아야한다 알렉산더 테
크닉법으로 숙련을 하
고 내면을 볼수있는
즉흥연기의 훈련과 더
불어 공연학에대한 파
악성과 무대의 성질과

환경적인 요소들을 파
악해야 훌륭한 배우가
될수있다 훌륭한 연기
란 남의 비난을 받지 만
비평적으로 나만의
표현방식과의 상상의
기법과 신체적으로 풀
수있는 문제들로서 이
루어 져야 하는것이다
그래서 공연이라는 문

제는 전에도 말했지만
사실적인 표현 방식과
올바른 정서를 가져야
만 하는 공간의 취지 를
주어야하며 또한
배우들의 움직임으로
써 값어치를 해야한다
는 보장이있어야한다
좋은 무대가 될수록
가난한 연극처럼 흘러

가도 예술의 의미하나
만을 생각하고 예술의
깊이를 따져보는것이
훌륭한 배우이며 예술
인이다 무대의 기반으
로써 성장해 무대의
연출과 더불어 만약
햄릿에서 리어티스와
칼장면을 치뤘을때도
마찬가지 그 기계무대

를 연상하고 계산해서
들어가는 액팅 포인트
라는 것을 전개할 수
있을 것이다 공연의
분석이란 감정의 농도
와 배우들의 기본적인
화술 성격 그 인물의
옷을 입히며 거울 을
보면서 내가 어떤 인
물인지를 상상하면서

가는것이 올바르다고
본다 언행적인 것도
마찬가지로 극장에서
흘러가는 현상이면 이
무대를 시뮬레이션을
통해 많은 접근방향들
이 계속 새로 나올 수
있다 감정적인 요소를
커피를 마신다고 가장
했을때 이게 차가운

커피인데 뜨겁게 연출
을 했을때 되는 평가
이다 움직임도 내가
사막을 걸을 건지 얼
음위에 걸을 것인디에
대해서도 자기의 사고
화를 꾸준히 해야한다
는 전개방향을 잡겠다
그래서 이 인물에 대
한것도 공연의 희곡

자체에서 메인캐릭터
가 누구인지에 대해서
공연을 올릴때 발성이
나 소리를 통해서 관
객들에게 의견을 나눌
수있다

도서명 무대성능

발 행 | 2022년 04월 19일
저 자 | 허윤제
펴낸이 | 한건희
펴낸곳 | 주식회사 부크크
출판사등록 | 2014.07.15.(제2014-16호)
주 소 | 서울특별시 금천구 가산디지털1로 119 SK트윈타워 A동 305호
전 화 | 1670-8316
이메일 | info@bookk.co.kr

ISBN | 979-11-372-8059-5

www.bookk.co.kr